파랑

정태성 시집(14)

머리말

계절이 바뀌며 많은 것들이 다시 새로워지고 있습니다.
사람의 마음도 변하며 삶을 보는 눈도 새로워지는 것 같
습니다.
시를 통해 변하는 저의 마음과 삶에 대한 시야가 새로워
지는 것을 느낍니다.
올해에도 많은 일들이 있을 것 같지만 온전히 살고자 노
력하고 싶습니다.
많은 일이 있을지언정 문학과 더불어 사는 삶은 그나마
따뜻한 것 같습니다.

2023. 5.

저자

차례

1. 파랑 / 7

2. 애를 썼건만 / 8

3. 아무것도 아니었다 / 9

4. 끝도 없이 / 10

5. 인연이 끝 / 11

6. 그때는 몰랐습니다 / 12

7. 무작정 달린 것만 같습니다 / 13

8. 나무에 올랐더니 / 14

9. 너와 나 / 16

10. 그곳 / 17

11. 생각과 삶 / 19

12. 별들이 지나갔다 / 20

13. 끝이 아니길 / 22

14. 어디에 있는지 / 23

15. 대답 없기에 / 24

16. 울림 / 25

17. 주어진 대로 / 26

18. 마음속의 너 / 27

19. 생각 / 28

20. 허공의 새 / 29

21. 불구하고 / 30

22. 애썼지만 / 31

23. 이 자리 / 32

24. 그저 나로서 / 33

25. 덜 웃으며 / 34

26. 그 소리 / 35

27. 밤이 깊어가도 / 36

28. 마음을 모아 / 38

29. 그 얼굴 / 40

30. 네가 있던 자리 / 41

31. 그 소리 / 43

32. 귀환 / 44

33. 볼 수 없음에 / 45

34. 그 시간 / 46

35. 사라지고 / 47

36. 그 거리 / 48

37. 세월을 묻고 / 50

38. 봄 / 51

39. 무중력 / 53

40. 별 / 54

41. 그 시간들 / 56

42. 봄 / 57

43. 기억 / 59

44. 이별 / 60

45. 서쪽 하늘 / 62

46. 사막 / 63

47. 그 시간들 / 64

48. 뒷모습 / 65

49. 먼 불빛 / 66

50. 그 자리에서 / 67

51. 자국 / 69

52. 끝 있는 길 / 70

53. 있는 그대로 / 71

54. 끈 / 72

55. 슬픔 그리고 작별 / 73

56. 조그만 빛 / 74

57. 별 하나 / 75

58. 지금 이대로 / 76

59. 오지 말라 하니 / 77

60. 바람에 마음을 얹어 / 78

61. 물의 물리학 / 80

62. 그리움 / 81

63. 아름다운 시간 / 82

64. 시린 가슴 / 83

65. 안개 / 84

66. 저녁의 서사 / 86

67. 서쪽을 향하여 / 87

68. 무지개 / 90

69. 바다 / 91

70. 그 소리 / 92

71. 비소리 들리고 / 93

72. 어둠은 오고 / 94

73. 잊히지 않아 / 95

74. 행복과 평안 / 96

75. 마지막 / 97

76. 떠난 후 / 98

77. 꽃이 피어도 / 99

78. 신발 / 100

79. 파도 / 101

80. 산 위에서 / 102

81. 그리움 / 103

82. 마지막 소망 / 105

83. 동굴 속 / 106

84. 마음을 모아 / 107

85. 그 얼굴 / 108

86. 네가 있던 자리 / 109

87. 그 소리 / 110

88. 기억 / 111

89. 그 거리 / 112

90. 그 시간 / 113

1. 파랑

파랑 너머에 무언가 있었다. 파랑을 넘어 그곳으로 가고자 했다. 어떤 것이 그것을 넘지 못하게 잡아당겼다. 파랑 너머에 있는 것이 이쪽을 바라보았다. 서로를 인식한 채 말없이 서 있었다. 알 수 없는 끈이 다가왔다. 그 끈에 매이고 싶었다. 그 끈을 따라 경계를 넘기 바랐다. 이곳을 떠나기 원했다. 모든 것에서 손을 떼야 함을 알았다. 갑자기 바람이 불었다. 그 바람이 불 것이라 예상할 수 있었다. 모든 것이 사라져 버렸다. 다시 돌아오지 않을 파랑이 그리웠다. 파랑은 이제 어디에 있는지도 모른다. 파랑 너머엔 처음부터 닿을 수가 없었다. 이제는 마음속에 있는 파랑만이 남았다.

2. 애를 썼건만

무엇인가 찾으려 애썼건만
찾을 수가 없었고

무엇이라도 이루려 했건만
이룰 수가 없었고

그것만이라도 되기를 바랐건만
그렇게 되지를 않았다

찾으려 할 필요도
이루려 할 필요도
바랄 필요도 없는 것이었거늘

왜 그리 애만 썼는지

이제는 손을 놓고
마음을 다 비울 수밖에

3. 아무것도 아니었다

무언가를 해야 할 것 같아서
무언가를 했었다
하지만 무언가는
아무것도 아니었다

누군가를 사랑하고 싶어서
사랑을 했었다
하지만 사랑은
아무것도 아니었다

아무것도 하고 싶지 않아서
아무것도 하지 않았다
하지만 아무것은
아무것도 아니었다

4. 끝도 없이

끝도 없이 깊고도
깊었습니다

더 이상은 없다
생각했건만

마르지 않고
그렇게 계속되었습니다

나는 무엇을 해야 할까요?

나 자신 부끄러워
고개를 들지 못하겠습니다

5. 인연의 끝

보고 싶을 줄 알았는데
보고 싶지 않습니다

그리울 줄 알았는데
그립지 않습니다

생각날 줄 알았는데
생각나지 않습니다

잊혀지지 않을 줄 알았는데
잊혀지고 있습니다

그렇게 서서히
인연이 끝나는가 봅니다

6. 그때는 몰랐습니다

그때는 몰랐습니다
삶이 무엇인지를

조금만 더 알았더라면
지금 이 자리에 있진 않을 것을

그때 알았어야 했음을
이제야 알게 되었습니다

삶은 그래서 이리도
어려운 것 같습니다

7. 무작정 달린것만 같습니다

어느 길이 옳은 길이고
어떻게 가야하는 것인지

그 길에서 만나는 인연을
어떻게 해야 하는지

생각지 않은 일에
어떻게 대처해야 하는지

하나도 몰랐던 것 같습니다

지금도 아는 것은 별로 없지만
그때는 정말 몰랐던 것 같습니다

이제와 어떻게 할 수 없지만
모르지 않기 위해 애쓰렵니다.

8. 나무에 올랐더니

땅위에 서서
나무 끝을 보았습니다

나무 위에 올라
아래 세상을 보고 싶었습니다

아무 생각 없이
나무 위로 오르기 시작했습니다

오르던 중 나뭇가지가 부러져
땅에 떨어지고 말았습니다

갈비뼈가 부러져
너무나 아팠습니다

부러진 뼈가 아물기를 기다린 후
다시 올라갔습니다

올라갔다 다시 떨어져
다리가 부러졌습니다

다시 뼈가 붙기를 기다려
또 올라갔습니다

그렇게 수없이 시도한 후
나무 위에 오를 수 있었습니다

원했던 나무 꼭대기에서
세상을 내려다 보았습니다

나무 위에서 본 세상은
기대와는 달리
별것 아니었습니다

괜히 나무 위에 올랐다는
생각이 들어
도로 내려왔습니다

내려오다 나뭇가지가 다시 부러져
땅에 곤두박질치고 말았습니다

땅에 떨어진 채 엎드려
나무를 쳐다보며
원망만 하고 말았습니다

9. 너와 나 사이

너와 나는 너무 멀다
그 사이엔 무언가 너무 많다

너와 나는 너무 가깝다
그 사이엔 무언가 있어야 한다

너와 나는 적당함이 없다
적당함이 존재의 전부일지 모른다

너와 나는 적당함이 있다
그 적당함이 영원하지 않을지도 모른다

10. 그곳

오랜만에
그곳에 가보았습니다

모든 것은
변하지 않은 채 그대로였지만

아무도 없이
공간만 존재하고 있었습니다

그 공간이 나에겐
아무런 의미가 없었습니다

모든 것이 그대로였어도
텅텅 빈 것만 같았습니다

시간은 추억 속에만 존재할 뿐
현재의 시간은 존재하지
않는 것 같았습니다

그래도 오늘을
살아가야 하는 것은
무슨 이유 때문일까요?

어쩔 수 없음일까요?
그래야 하기 때문일까요?

가을은 깊어가고
바람은 싸늘해지는데

어디선가 풍경소리만
들려오고 있었습니다

11. 생각과 삶

생각을 했더니
마음이 생겼다
마음이 생기니
행동이 되었다
행동을 했더니
업이 쌓였다
업이 쌓이니
삶이 되었다

12. 별들이 지나갔다

별들이 나를 지나갔다
나를 힘들게 했던 별
아픔을 안겨준 별
고통을 준 별
괴로움을 준 별
기쁨과 행복을 준 별
사랑을 알게 해준 별
그것이 별인지도 몰랐다
그 별들이 나를 만들었다

13. 끝이 아니길

왠지 모를 힘이 나를 부르네
이제는 더 이상 가지 말라 하네
그만하면 됐다고
그만하면 충분하다고

나의 내면은 대답하네
더 가고 싶다고
끝이 아니라고
아직은 끝이 아니라고

14. 어디에 있는지

바다로 나가 보았네
그 소리 들리는가 싶어

멀리 수평선만 보였네
파도가 부서진 채로

산위에 올라 보았네
흔적이나마 찾을까 싶어

안개싸인 봉우리만 보였네
메아리도 돌아오지 않은 채

15. 대답 없기에

아무리 기다려도 대답없건만
또 기다려야 하는가

대답없을 줄 알았건만
왜 기다렸던 걸까

이제는 기다림에 지쳐
마음마저 접는다

16. 울림

어느 깊은 곳에서
들려오는 소리인지

잔잔했던 마음속에
울림이 되어

지나온 시간의
회한으로 퍼져

기억하지 못했던
시간마저 되살아나네

17. 주어진 대로

가파른 산길따라
올라가 보았네
산위의 세상이 궁금해서

봉우리에 우뚝선채
내려다 보았네
산아래 세상이 궁금해서

산위나 산아래나
별 차이가 없었네
그저 주어진대로 존재할 뿐

18. 마음속의 너

멀리 있지만
가까이 있는 듯하다
내 마음속에 있으니

얼마되지 않았지만
오래된 듯하다
마음을 열었으니

우연이지만
필연인지 모른다
마음이 일치하니

19. 생각

내가 그라고 생각하는 것이 그가 아니다
내가 그라고 생각하는 것일 뿐이다

그가 나라고 생각하는 것이 내가 아니다
그가 나라고 생각하는 것일 뿐이다

나는 그를 그라고 생각하는 줄 알았다
그것이 아니었는데

그가 나를 나라고 생각하는 줄 알았다
그것이 아니었는데

생각은 내가 아니고 그가 아니다

20. 허공의 새

허공을 나는 새
너는 흔적을 남기지 않는다

허공을 날지 못하는 나
남긴 내 흔적이 부끄러울 뿐이다

그냥 날고 싶었다
아무것도 바라지 않은 채

그럴 수가 없었다
미련한 인간이었기에

다시 허공을 바라본다

흔적없이 날 수 없는
나 자신을 부끄러워하며

21. 불구하고

할 수 있음에도 불구하고
하지 못했다

인내 할 수 있음에도 불구해
인내하지 못했다

받아들일 수 있음에도 불구하고
받아들이지 못했다

흘려버릴 수 있음에도 불구하고
흘려버리지 못했다

그러하지 못했기에
미련이 남는다

다시 돌이킬 수 없기에
회한만이 남는다

22. 애썼지만

그렇게 달렸지만
도달하지 못하고

그렇게 애썼지만
이루지 못했다

그 모든 노력이
무슨 소용일까

차라리 시도도차
하지 말 것을

어차피 도달하지
못할 것을

23. 이 자리

나는 왜 이 자리에
있는가

무엇을 위해
이 자리에 서 있는가

무엇을 얻기 위해
무엇을 하기 위해
이 자리에 있는가

그것을 얻었다하여
무슨 변화가 생기는가

지나간 것들이
돌아오지 않거늘

다가올 것들만을
바라보는 것인가

24. 그저 나로서

내가 누구인지란 질문은
더 이상 필요하지 않다
그저 나로서 살아갈 뿐이다

사랑은 나에게
더 이상 필요하지 않다
그저 나로서 살아갈 수 있다

진리가 무엇인지
더 이상 궁금하지 않다
그저 나로서 살아가고 싶다

25. 덜 웃으며

너무 많이 웃지 않으렵니다
덜 웃으며
세월을 보내렵니다

너무 많이 울지 않으렵니다
덜 울며
세월을 보내렵니다

너무 좋아하지도 않고
너무 싫어하지도 않은 채

많은 것들을
그냥 스쳐 지나가도록
조용히 지켜보기만 하렵니다

26. 그 소리

나를 부르는 소리에
대답할 수 없었다

머뭇거리는 사이
이미 끝나 있었다

돌이킬 수 없지만
끊임없이 돌아보았다
그 소리 다시 들릴 것 같았다

아무리 기다려도 들리지 않았다

나를 부르는 소리는
한 번밖에 없었다

27. 밤이 깊어가도

나름대로의 최선이 결코 최선의 결과를 얻어내지 못한 나 자신의 자괴감이 나를 무겁게 짓누르고 평범한 일상마저 쉬이 가지 못하도록 만들기 때문이다. 어차피 삶이 그렇다는 것을 잘 아는데도, 모든 것이 별것 아니라는 것을 잘 아는데도 지식과 마음이 이렇든 엇갈리는 때가 있기에 그것이 나의 걸어가는 발목을 붙잡고 더 이상 앞으로 가게 하지 못하기 때문이다. 돌이킬 수 없음을 알면서도, 용기낼 수 있기를 소망하면서도, 그저 이 자리에 주저앉아 오늘의 무거움만을 감당치도 못하는 나약함의 소유자가 나라는 사실을 새삼 인식하고 있기에 오늘도 밤이 깊도록 내면의 그 어딘가만을 헤매고만 있을 것이기에 긴 밤이 두려울 뿐이다.

28. 마음을 모아

아무리 불러도
대답하지 않는다
닿을 수 없는 곳에 있는 것일까

아무리 찾아도
찾을 수가 없었다
내가 있는 곳에 없는 것일까

마음이나마 모아
떠나 보낸다

내 마음 그곳에
닿기를 기원하면서

29. 그 얼굴

잊히지 않는 얼굴
내 마음에 깊이 있어

언제라도 꺼내 보니
그 시절로 돌아간 듯

다시 한번 만날 수만 있다면
다시 한번 대할 수만 있다면

30. 네가 있던 자리

네가 있던 그 자리
아직도 내 가슴에 있는데

그 자리에 있던 네 모습
영원토록 변함없는데

너를 만나지도 못한 채
그리워만 했던 시간들

언젠가 그 자리에
네가 다시 서 있다면

그 자리의 네 모습
다시 볼 수만 있다면

31. 그 소리

어디선가 들리는 듯한 소리
귀를 기울여 봅니다

혹시나 그 소리인가 싶어
마음 졸였습니다

마음을 모아 아무리 들어도
그 소리 들리지 않았습니다

언제까지 기다려야 할까요

한번만이라도 그 소리
들을 수 있을까요

밤하늘엔 별빛이 반짝이건만
사방의 적막함은 계속되기만 합니다

32. 귀환

오지 않을 줄 알았는데
온다고 합니다

기다렸던 시간이
하염없어서
눈물도 말랐습니다

이제는 오는 것이
낯설게 느껴질 정도지만
시간이 지나면
다시 익숙해질 것입니다

모든 것을 잊고
새로운 마음으로
귀환을 받아들이렵니다

33. 볼 수 없음에

바다 건너 그 먼곳에 있다. 언제 만날지, 다시 볼 수는 있을지 알 수도 없다. 보고 싶어도 볼 수 없다는 것이 이리 힘든 것인지 예전엔 미처 몰랐다. 원하는 그 언제라도 만날 줄 알았다. 운명은 그렇게 시간과 공간을 갈라 여기까지 내몰았다. 만나지 못함에 고개를 떨구고 볼 수 없음에 가슴을 친다. 삶은 예기치 못한 길로 인도하니 누구를 원망한들 무슨 소용 있으랴. 삶의 빛이 있다면 조금이라도 비춰지길 희망할 뿐이다.

34. 그 시간

이제야 그 소중함
깨달았건만

허위허위 지나간 시간을
어찌할거나

한 번뿐이었을 그 순간들
돌아오지 않는 그 시간들

아무리 생각하고 그리워해도
이제서 그 무슨 소용 있을까

모든 것을 고이고이 접어서
바람결에 날려보낼 수밖에

35. 사라지고

아무 말없이 사라져 버렸다. 간다는 인사도 없이, 다시 만날 기약도 없이, 그렇게 떠나가 버렸다. 이생에 다시 만나지 못할 수도 있고, 영영 기억속에만 남을지도 모른다. 보고 싶다 볼 수 없고, 그립다 달려갈 수 없다. 돌아오지 않음을 알지만, 희망을 버리지 못함은 무슨 연유인지. 만나지 못함을 알지만, 미련을 버리지 못함은 무슨 까닭인지. 차가운 바람이 창문을 때린다. 그 바람 이제 내 마음에 들어와 모든 것을 잃게 만들어 버린다.

36. 그 거리

그 거리 멀지 않았거늘
더 다가갈 수 없었다

많은 것을 생각하지 말 것을
생각이 모든 것을 가로막았다

이제 와 돌이킬수도 없고
애써도 아무 소용 없거늘

그 거리 내 마음에 남아
한이 되어 가슴에 맺힌다

37. 세월을 묻고

너무나 멀리 갔기에
돌아올 수가 없었습니다

그렇게 멀리 가리라
생각도 못했습니다

제 자리가 아닌 곳에
있어야 한다는 것이
이렇게 힘들 줄 몰랐습니다

이제는 돌아오려 해도
돌아올 수가 없습니다

영원히 그곳에서
이곳을 그리워할 뿐입니다

이제는 그렇게
세월을 묻으려 합니다

38. 봄

겨울이 끝나지 않기를 바라면서도
봄이 기다려지는 것은 무슨 이유일까요

하얀 눈이 녹지 않기를 바라면서도
예쁜 꽃이 보고 싶기도 합니다

쌀쌀한 아침저녁에도 불구하고
한낮은 따뜻해졌습니다

어제나 오늘이나 꽃이 피었는지
주위를 둘러보곤 합니다

아직은 활짝 피지 않았지만
꽃망울이 눈에 띕니다

봄은 아마도 게으름을
피우는 것 같습니다

봄이 천천히 오는 것은
가는 겨울이 아쉽기 때문인가 봅니다

가는 것은 가고 오는 것은 오지만
미련과 아쉬움은 어찌할 수 없나 봅니다

이제 온누리가 꽃세상이 되듯
모든 이의 마음에도 꽃이 만발했으면 합니다

39. 무중력

떨어져도 느끼지 못하길 바랐다. 자유를 위해
떨어져도 아프지 않길 바랐다. 추억을 위해
같은 속도로 떨어지지는 않는다. 존재이기에
떨어지며 바라보았다. 궁금했던 너이기에
아무리 떨어져도 소망이 있었다. 함께 할 수 있기를
다시 오르지는 못한다. 운명이기에
이대로도 좋았다. 그걸 알기에
더 이상 바라지 않는다. 끝에 이르렀기에

40. 별

별들이 나를 지나가 버렸다
나를 힘들게 했던 별
아픔을 안겨준 별
기쁨과 행복을 준 별
사랑을 알게 해준 별
삶을 바라보게 해준 별
그것이 별인지도 몰랐다
지나간 후에야 알았다
나의 별이 아니었지만 나의 별인 줄 알았다
그렇게 별들을 보내고 마음속에 새겼다
그 별들이 지금의 나를 만들었다

41. 그 시간들

다시는 오지 않을 그 시간들
왠지 그립기만한 그 순간들

돌아갈 수 없다는 것을 알면서도
돌아가고 싶기만 한 그 세월들

너무 아팠지만 아름다웠고
너무 힘들었지만 소중했기에

잊혀지지만 잊고 싶지 않고
미련은 없지만 아쉬움은 있어

세월을 잘라내 다시 접어
그 끝을 맞추고 싶을 뿐이니

42. 봄

겨울이 끝나지 않기를 바라면서도
봄이 기다려지는 것은 무슨 이유일까요

하얀 눈이 녹지 않기를 바라면서도
예쁜 꽃이 보고 싶기도 합니다

쌀쌀한 아침저녁에도 불구하고
한낮은 따뜻해졌습니다

어제나 오늘이나 꽃이 피었는지
주위를 둘러보곤 합니다

아직은 활짝 피지 않았지만
꽃망울이 눈에 띕니다

봄은 아마도 게으름을
피우는 것 같습니다

봄이 천천히 오는 것은
가는 겨울이 아쉽기 때문인가 봅니다

가는 것은 가고 오는 것은 오지만
미련과 아쉬움은 어찌할 수 없나 봅니다

이제 온누리가 꽃세상이 되듯
모든 이의 마음에도 꽃이 만발했으면 합니다

43. 기억

당신에 대한 기억
이젠 희미해져 갑니다

아름다웠던 시간이
바래져 가는 것인지

소중했던 순간이
잊혀져 가는 것인지

그 기억 붙잡고 싶으나

세월의 흐름을
막을 수는 없나 봅니다

그나마 붙들고 있는 추억이
사라지지 않기를 바랄 뿐입니다

그마저도 잊혀진다면
삶을 모두 잃은 것이나
마찬가지일 것입니다

44. 이별

내게 오는 모든 것은 언젠가 가기 마련이다.
가는 것을 붙잡는다 해도 붙잡을 수 없다.
오는 것이 두려운 이유는 언젠가 가기 때문이다.
마음을 주는 것이 망설여지는 이유이다.
삶은 또 다른 무언가가 오기 마련이다.
마음속에 두려움이 있어도, 이별을 더 이상 경험하고 싶
지 않아도, 삶은 그렇게 새로운 무언가가 다가오곤 한
다.
그냥 물 흘러가는 대로 내버려 두어야 하는 것일까?
바람이 부는 대로 지켜보아야 하는 것일까?
눈이 오는 것을 어찌 우리가 막을 수 있을까?
계절이 변하는 것을 어찌 막을 수 있을까?
때가 되어 그것이 오면 때가 되어 그것이 간다.

45. 서쪽 하늘

서쪽 하늘 노을 속으로
새 한 마리 날아가네

무엇을 위해
저리 혼자 나는 것일까

잃어버린 것을 찾는 것일까
갈 곳 없이 헤매는 것일까

돌아갈 곳이 있기는 할까
하염없이 날기만 할까

끝없는 저 하늘 그만 날고
이제 내려와 쉬려무나

46. 사막

사막의 물이 마르듯,
우리들의 마음도 그렇게 말라간다.
사막에 모래바람이 날리듯,
우리의 영혼도 모래바람처럼 날아간다.
사랑받으려 노력하지도 않기에,
사랑을 주려 애쓰지도 않기에,
사랑은 그렇게 사라져 버린다.

47. 그 시간들

다시는 오지 않을 그 시간들
왠지 그립기만한 그 순간들

돌아갈 수 없다는 것을 알면서도
돌아가고 싶기만 한 그 세월들

너무 아팠지만 아름다웠고
너무 힘들었지만 소중했기에

잊혀지지만 잊고 싶지 않고
미련은 없지만 아쉬움은 있어

세월을 잘라내 다시 접어
그 끝을 맞추고 싶을 뿐이니

48. 뒷모습

아빠는 너의 뒷모습을
한없이 바라보았다

많은 사람이 있었지만
아빠는 너만 보였다

너의 과거와
너의 지금과
너의 미래를
그 자리에서 보고 있었다

네가 잘 되기만을 바라며

아빠는
그 자리에서 붙박인 채로
너의 뒷모습만
한없이 바라보았다

49. 먼 불빛

멀리 보이는 불빛
점점 아득해지고
닿을 수 없는 그곳
점점 멀어져

이제는 이를 수 없기에
언발을 땅에 파묻고
어두운 밤하늘의
별만 바라보네

50. 그 자리에서

오랫동안 있기만 했다
변함없이
그 자리에서

오지도 가지도 않았다
그 오랜시간
있는 그대로

51. 자국

오래도록 남아있었던
생각보다
너무나 오래 남아있었던

지울래야 지워지지 않는
영원히
지울수가 없을 것 같은

잊혀질 줄 알았건만
그렇게
잊혀지지 않을 줄이야

간직할 수밖에 없는
어쩔 수 없이
영원토록 간직할 수밖에 없는

52. 끝 있는 길

가도가도
끝없을 줄 알았건만
언젠가는 끝이 있고

해도해도
한없을 줄 알았건만
더 이상 할 수 없어

마지막이
먼 것처럼 느꼈지만
어느새 너무 가까워

더 이상
주어지지 않을 것이기에

더 이상
볼 수 없을 것이기에

그 길의 끝자락에 서서
영원히 작별을 고한다

53. 있는 그대로

지우고 싶지만
지울 수가 없어서

다시 쓰고 싶지만
다시 쓸 수 없어서

고치고 싶지만
고칠 수가 없어서

이제는
쓰여진 대로
고치지 못하는 채로
그저 있는 그대로

54. 끈

어디 있는지
모른 채
그리워만 하고

무얼 하고 있는지
모른 채
궁금하기만 하다

끊을래야
끊을 수 없는

이을래야
이을 수 없는

생각과 의지로는
되지도 않는

연약한 그 끈을
붙잡고만 있다

55. 슬픔 그리고 작별

슬픔이야말로
작별할 수 있는 가장 좋은
심정일지 모릅니다

미워하지도
화가 나지도
더 이상 미련도 없으니까요

이제는 마음이
가벼워지는 듯합니다

아무 생각도 없이
발걸음을 옮길 수 있으니까요

56. 조그만 빛

그 오랜 시간동안
한없이 기다리기만 하였네

할 수 있는 것이 없어서
어떻게 해야할 지 몰라서

머나먼 수평선 너머로
닿을 수 없는 그곳을 향하여

들리지도 않을
알수도 없을
마음만 허공으로
한없이 띄워 보냈네

이제는 끝났구나 싶어
절망속에 좌절해 있을 때
조그만 빛이
갑자기 찾아와 들었네

이제는 더 이상 바랄 것 없이
그 빛만 바라보며 걷겠네

57. 별 하나

어두운 밤하늘
어디선가 나타난 별 하나

마음 졸였던 그 세월
영원히 사라질까 두려웠기에

짧지 않은 시간
한없이 바라보았던 밤하늘

영원히 그 자리에서
사라지지 않는
북극성이 되기를

58. 지금 이대로

잃을 것이 없으니
더 이상 잃지 않았으면 좋겠다

지금 있는 그대로 만족하니
더 이상 아픔은 없었으면 좋겠다

잃은 건을 찾을 수도 없으니
지금 것을 충분히 사랑하고 싶을 뿐

더 이상 바라는 것 없으니
지금 이대로 있었으면 좋겠다

59. 오지 말라 하니

어찌하여 오지 말라고 했는가
그러지 않아도 되는 걸
그저 그 자리에
있는 것으로 충분하거늘

오지 말라하니 갈 수 없어
그것이 더 힘들거늘

바라만 보다 지나간 세월을
어찌해야 하는가

이제는 돌이킬 수도
돌아갈 수도
다시 시작할 수도 없으니

그 모든 것 그저 이대로
떠나갈 수밖에

60. 바람에 마음을 얹어

바람에 마음을 얹었다
어디로 갈 지 알 수 없지만
모든 걸 맡긴 채
그저 얹어버렸다

나는 갈 수 없기에
갈 수조차 없기에
바람의 힘을 빌려서라도
그곳에 이르기를 바랐다

바람이 나의 마음을
알아주지 못해도
그곳에 이르지 못해도
그저 마음을 얹은 것 밖에는
할 수 있는 것이 없었다

바람이 가는 것을 보았다
우두커니 선 채
바람이 가는 것을
한없이 바라보기만 하였다

61. 물의 물리학

힘없어 보이지만
많은 에너지를 품었다
비열이 크기 때문에

평범하게 보이지만
생명의 근원이 된다
물없는 생명체는 없기에

어떤 것을 만나도
두려워하지 않는다
어차피 다 지나가니까

멀리 못 갈것 같지만
가지 못하는 곳이 없다
가진 것 없이 가볍기에

쉽게 부서지는 것 같지만
다시 제 모습을 찾는다
마음대로 변할 수 있기에

62. 그리움

그리움에 사무쳐
아무것도 하지 못하고

만나고 싶어도
만나지 못하고

살아 있어도
살아있음을 느끼지 못하니

이 허망한 세월만 원망스럽다

몇 번이나 만날 수 있을지
죽기전에는 만날 수 있을 지

밤이 깊어갈수록
그리움만 더하네

63. 아름다운 시간

가슴이 뛰었다
새로운 것들이 있어
걸어갈 그 길을 상상했기에

가슴이 뛰어 좋았다
살아있음을 느낄 수 있기에
의미있는 시간을 보낼 수 있기에

뛰는 가슴이 진정되지 않았다
더 나은 순간이 기다리고 있기에
아름다운 시간이 기다리고 있기에

64. 시린 가슴

벗어나지도
잊히지도 않을
그 아픈 순간들이 쌓여
나의 영혼마저 길을 잃었다

할 수 있는 것은
더 이상 없기에

시린 가슴을
부여안고 살아갈 수밖에

영영 이 시린 가슴을
부여안고 살아갈 밖에

65. 안개

희뿌연 안개속
어디가 어디인지 알 수 없건만
그 속을 헤매고 다녔다

빛 하나 없이
사람 하나 없이
뿌옇게 켜진 그 외등을 따라
한없이 걸었다

안개가 걷히길 그토록 소망했건만
시간이 멈춘듯 뿌연 안개는 계속되었다

햇빛도 죽은 듯
바람도 죽은 듯
그 모든 것이 정지해버렸다

66. 저녁의 서사

멀리서 종소리 들린다

무엇을 위하여
저 종은 울리고 있는가

하루해는 저물고
하늘에 노을은 붉었다

태양은 서서히 자취를 감추고
이우러진 그믐달이 보였다

스산한 바람이 불었다

흔들리는 나뭇잎
어디선가 풍경소리 들렸다

고개들어 하늘을 보았다

어느새 북극성 나타나
밤하늘에 빛나고 있었다

67. 서쪽을 향하여

서쪽 길을 따라 무작정 떠났네

산이 있기에 산을 만나고
물이 있기에 물을 만나고
사람이 있기에 사람을 만났네

어디가 어디인지 잘 알지 못하고
제대로 가는지 알 수 없지만
무작정 서쪽을 향해 그냥 나갔네

만나고 부딪히는 모든 인연을
스치는 것으로 흘려 버렸네

왜 가야 하는지 생각도 없이
뚜렷한 목적도 가지지 않고
서쪽을 향해 한없이 나갔네

서쪽 그 끝엔 별것이 없었네

눈앞에 펼쳐진 푸른 바다와
하늘을 물들인 붉은 노을이
그 길 끝의 전부였을 뿐

바닷가에 앉아 서쪽 하늘을 보았네

더 이상은 갈 수 없기에
나의 한계는 여기이기에

내 마음을 하늘에 띄워 보냈네

나는 마음없는 사람이 되어
세상의 끝에서 자유를 느꼈네

68. 무지개

저 멀리 무지개가 보였다

그 얼마나 기다렸던 것일까

비는 유난히도 많이 내렸다
그 빗물에 내 마음도 잠겼다
헤어나오지 못할
그 빗속에 갇혀 무지개만 바랐다

무지개에 가까이 다가가려 애썼다

닿을 수도 없고
만질수도 없다는 것을
이제야 알았다

바라만 보아도 좋으니
사라져 버리지만 않기를 바랐다

69. 바다

이 바다는 너무나 넓어
건널수가 없으니
바라만 보아야 하는 것일까

나에게는 날개도 없고
배 한척도 없으니
한없이 바다만 바라볼 뿐이다

밀려온 파도가 다시 밀려갔다
저 파도에 이 몸을 맡겨볼까
파도가 바다를 건네게 해 줄 수 있을까

70. 그 소리

그 소리 더 이상 들리지 않아

아무리 귀 기울여 들어보아도
이제는 더 이상 들을 수 없어

언제든 들을 거라 믿었었건만
그 믿음 산산히 깨져 버리고
이제는 마음 문마저 닫혀 버리고

그 소리 다시금 들리더라도
내 귀로는 들을 수 없어

71. 비소리 들리고

깊어가는 밤
나도 모르게 창문을 열었다

비 내리는 소리
이제서야 선명하게 들리고

비소리에 내 마음을 씻었다

저 비는 이제 계절을 바꾸고
또 다른 시작을 알리니

나 또한 저 비와 더불어
새로운 시간을 맞이할 뿐이다

72. 어둠은 오고

창밖은 어둠이 밀려오고
오늘 하루도 이렇게 지나간다

어제와 오늘은 다르건만
나에겐 같게만 느껴진다

오늘과 내일이 다르건만
그 다름을 느끼지 못한다

많은 걸 알지 못한 채
삶이 무언지도 모른채

세월만 흘러가 버린다

돌아오지 않는 시간이
이렇게 흘러가고 있다

73. 잊히지 않아

잊으려 해도 잊히지 않아
내 마음 어딘가에 있는 것인지
내 기억 어딘가에 있는 것인지
세월이 흘러도 여전히 있어

시간이 더 지나도
나이가 더 들어도
주어지는 시간이 점점 줄어도
이생을 다하는 순간까지도
영원히 내 안에 남아있을 듯

74. 행복과 평안

어떤 일이 다가와도
행복하지 않을 이유가 없고

어떤 일이 다가와도
마음 편하지 않을 이유가 없네

모든 것은 별 것 아니니
그저 지금 존재할 뿐이네

75. 마지막

그것이 마지막이 될 줄 몰랐다
시간은 늘 주어져 있었기에
언제든 가능하다 믿었기에
일시적이라 생각하기만 했기에

이제 이생에서
그 시간은 오지 않으리라
마음에 남았던 시간
그나마 위로가 되었던 시간

삶은 그렇게 어느 순간이
마지막이 되어버리고 만다

76. 떠난 후

영영 떠나버린 너는
돌아올 줄 모른다

한없이 기다리는 나에겐
이제 시간이 끝나간다

이생에선 이렇게
마지막이 되었다

77. 꽃이 피어도

봄이 되어 사방으로
꽃이 피지만
내 마음엔 아직도
겨울눈이 쌓여 있네

온 세상은 따뜻한 봄이 되거늘
나에게는 이 겨울이
지나가지 않는 듯

내 할 수 있는 것 하나없으니
마음을 접는 수밖에

78. 신발

익숙한 신발이
가지런히 놓여 있다

저 신발을 신고 걷던 모습
선연히 마음속에 남아 있는데

이제는 그 모습 더 이상 볼 수 없고
오직 마음속으로 그릴 뿐이다

다시 한번 그 모습을 볼 수 있다면
단 한번 만이라도 볼 수 있다면

79. 파도

바닷가에 파도가 일었다

파도는 끊임없이
다가오고 물러나거늘

어찌 그는 그리도
쉽게 가버리고 말았던가

좀 더 있다가도 되는 것을
가고나면 오지 못하는 것을

80. 산 위에서

끝없이 펼쳐진 산하엔
아침안개 뿌옇게 덮였네

가고자 하나 갈 수 없음을
하늘 위 구름이 알려주는 듯

거대한 세상에
홀로 서야만 하거늘

너무나 거친 세상에
홀로 헤치고 나가는 수밖에

81. 그리움

누군가는 그리움을
기다리면 된다고 합니다

시간이 지나면 올 때가 있으니
걱정없을 것이라 합니다

기다려도 오지 않을 것을
알고 있다면 어찌 해야하나요

아무리 기다려도 오지 않을 터인데

82. 마지막 소망

아무리 보아도 보이지 않았다
그리 멀리 있는 것 같지 않은데

아무리 들어도 들리지 않았다
들을 수 있는 거리에 있는데

볼 수 있길 간절히 바랐지만
볼 수가 없고

들을 수 있길 간절히 원했지만
들을 수 없으니

그 어떤 것을 할 수 있는 것일까

계절이 지나고 세월이 지나
그 모든 것이 파묻혀 버리고 마는데

내 마지막 소망이나마
이루어질 수 있을까

83. 동굴속

깊고 어두운 굴속이었나 봅니다

거친 바닥과 습한 공기가
의욕마저 짓누르는 듯합니다

그곳에 왜 내가 있는지
어떻게 거기에 도달했는지도
알 수 없었습니다

어디로 가야 나올 수 있는 것일까요?
밝은 햇살을 언제나 볼 수 있는 것일까요?

나를 그곳에 이끈 것은
나였는지 모릅니다

나를 그곳에서 나올 수 있게 하는 것도
나여야 할지 모릅니다

84. 마음을 모아

아무리 불러도
대답하지 않는다
닿을 수 없는 곳에 있는 것일까

아무리 찾아도
찾을 수가 없었다
내가 있는 곳에 없는 것일까

마음이나마 모아
떠나 보낸다

내 마음 그곳에
닿기를 기원하면서

85. 그 얼굴

잊히지 않는 얼굴
내 마음에 깊이 있어

언제라도 꺼내 보니
그 시절로 돌아간 듯

다시 한 번 만날 수만 있다면
다시 한 번 대할 수만 있다면

86. 네가 있던 자리

네가 있던 그 자리
아직도 내 가슴에 있는데

그 자리에 있던 네 모습
영원토록 변함 없는데

너를 만나지도 못한 채
그리워만 했던 시간들

언젠가 그 자리에
네가 다시 서 있을 수 있다면

그 자리의 네 모습을
다시 볼 수만 있다면

87. 그 소리

어디선가 들리는 듯한 소리
귀를 기울여 봅니다

혹시나 그 소리인가 싶어
마음 졸였습니다

마음을 모아 아무리 들어도
그 소리 들리지 않았습니다

언제까지 기다려야 할까요

한번만이라도 그 소리
들을 수 있을까요

밤하늘엔 별빛이 반짝이건만
사방의 적막함은 계속되기만 합니다

88. 기억

당신에 대한 기억
이젠 희미해져 갑니다

아름다웠던 시간이
바래져 가는 것인지

소중했던 순간이
잊혀져 가는 것인지

그 기억 붙잡고 싶으나

세월의 흐름을
막을 수는 없나 봅니다

그나마 붙들고 있는 추억이
사라지지 않기를 바랄 뿐입니다

그마저도 잊혀진다면
삶을 모두 잃은 것이나
마찬가지일 것입니다

89. 그 거리

그 거리 멀지 않았거늘
더 다가갈 수 없었다

많은 것을 생각하지 말 것을
생각이 모든 것을 가로막았다

이제 와 돌이킬수도 없고
애써도 아무 소용 없거늘

그 거리 내 마음에 남아
한이 되어 가슴에 맺힌다

90. 그 시간

이제야 그 소중함
깨달았건만

허위허위 지나간 시간을
어찌할거나

한 번뿐이었을 그 순간들
돌아오지 않는 그 시간들

아무리 생각하고 그리워해도
이제서 그 무슨 소용 있을까

모든 것을 고이고이 접어서
바람결에 날려보낼 수밖에

파랑

정태성 시집(14)

초판 발행 2023년 5월 25일

지은이   정태성
펴낸이   도서출판 코스모스
펴낸곳   도서출판 코스모스
등록번호 414-94-09586
주소 충북 청주시 서원구 신율로 13
전화 043-231-7027
팩스 043-237-5501

ISBN 979-11-91926-57-6

값 8,000원